SPIROU À MOSCOU

FANTAISIE [tè-zî] n.f. (du grec *phantasia*). Idée qui a quelque chose de libre et de capricieux. Caprice, goût bizarre et passager. Imagination. Exemple: *«Toute ressemblance avec des camarades existant ou ayant existé ne serait que pure fantaisie.»*

Scénario et dessin :
TOME - JANRY
Couleurs :
STEPHANE DE BECKER
Photo :
YVAN MATHIEU

Dépôt légal : décembre 1990   D.1990/0089/136
ISBN 2-8001-1783-4   ISSN 0772-0262

AÉROPORT CHARLES-DE-GAULLE, DÉBUT NOVEMBRE. L'ÉPOQUE IDÉALE POUR PARTIR EN VACANCES DANS L'HÉMISPHÈRE SUD...

ALLÔ, COLONEL? ICI, CHARBONNIER. NOUS LES AVONS TROUVÉS!

"ILS" S'APPRÊTENT À QUITTER LE TERRITOIRE, UN VOL PARIS-PAPEETE. "ILS" SONT À L'EMBARQUEMENT!

FAITES POUR UN MIEUX, CHARBON. DISCRÈTEMENT.

JE VOUS REJOINS DANS UNE HEURE À L'AÉROPORT. LE TEMPS DE PRÉVENIR MOSCOU.

ATTENTION... ATTENTION... MESSIEURS SPIROU ET FANTASIO SONT PRIÉS DE SE PRÉSENTER À LA SALLE DE TRANSIT, COULOIR "S", PORTE 24. JE RÉPÈTE...

C'EST POUR NOUS! QU'EST-CE QUE...?!

ON VERRA BIEN, C'EST PAR LÀ.

PORTE 24. C'EST ICI.

ZUT! LA LUMIÈRE EST MORTE!

CLIC

C'EST BIZARRE. IL DOIT S'AGIR D'UNE ERREUR.

ATTENDS, J'AI UN BRIQUET.

?

iiiik!

POUF

ALLÔ, L'EMBARQUEMENT?

ON ME PRIE DE VOUS SIGNALER UN CHANGEMENT DE DERNIÈRE MINUTE POUR DEUX VOYAGEURS, PRÉVUS POUR LE VOL VERS TAHITI...

Z Z

1

...C'EST BIEN ÇA, DEUX ANNULATIONS...

MESSIEURS SPIROU ET FANTASIO...

La nature particulière de ce pays, la rudesse de son climat mais surtout son immensité et le poids qu'il exerce sur le destin de la planète tout entière justifient qu'on s'arrête un instant sur quelques-uns de ses aspects les plus remarquables...

Tout au long d'une histoire tourmentée, son peuple dut défendre une terre convoitée par des hordes belliqueuses déferlant de toutes les frontières. Polonais, Lituaniens, Teutons, Suédois, Finnois, Turcs, Mongols (et même un peu les français), tous finiront par être refoulés au prix de sanglants sacrifices.

Ces luttes incessantes forgèrent l'étonnante âme slave alliant une sage rudesse paysanne à une sensibilité proverbiale.

TROMP TROMP

BEUHEUHEUUU...

?

...TU PLEURES, IVAN ?

C'EST LE VIOLON ! J'Y PEUX RIEN, ÇA ME REND TRISTE !

IVAN IVANOVITCH MON ÂME, C'ÉTAIT LA LUTTE FINALE ! RENTRONS !

SNIF, T'AS RAISON !

Et sous ses dehors austères, le Russe sait à l'occasion manier un humour certain.

...D'AILLEURS, IL SE FAIT TSAR ! HI HI !

HI HI HI !

Par ailleurs, ce formidable creuset offrit à l'humanité quelques-unes de ses plus grandes figures...

NICOLAS II   BREJNEV   FIDEL CASTRO   IVAN REBROF

VLADIMIR ILITCH OULIANOV

TOLSTOÏ   DOSTOÏEVSKY   IRINA RODNINA   LAÏKA

2

Mais ce sont les traditions russes qui popularisèrent l'imagerie russe. Certaines sont célèbres comme la "roulette" russe.

À TON TOUR, TOVARITCH. ET QUE LE PLUS VEINARD SURVIVE !

KLIK

TRILLZ

Le chaleureux et viril baiser d'accueil...

les baignades hivernales...

Ou encore...

L'habitude de faire du feu sous les véhicules pour les faire démarrer en hiver...

...Ou celle, plus récente, d'évaluer les prix en années de salaire.

VOILÀ TA VOITURE, PÉPÉ ! NE LA FAIS PLUS BRÛLER !

AVEC VOS DÉLAIS DE LIVRAISON, J'AI EU LE TEMPS DE ME LASSER DES ALLUMETTES, FISTON !

Kalink OTOMOBI

BIEN SÛR, CE NE SONT QUE DES EXEMPLES ET UN OUVRAGE NE SUFFIRAIT PAS À ÉPUISER LE SUJET.

SOYEZ MOINS SCOLAIRE, CHARBON, LE TEMPS PRESSE !

...ET NOS PROTÉGÉS BRÛLENT D'EN VENIR AU FAIT.

BIEN, COLONEL. PROJECTION ?

SÉQUENCE N°4.

3

TOUT CE QUI PRÉCÈDE EST DE NOTORIÉTÉ PUBLIQUE...

PAR CONTRE, SI, AU DÉTOUR D'UNE VISITE À MOSCOU, VOUS DÉCOUVREZ CES LETTRES INSCRITES AU FRONTON D'UN PORTIQUE...

... INUTILE D'EN CHERCHER LA SIGNIFICATION DANS VOTRE GUIDE.

Le "K.G.B." ou "Haut commissariat à la sécurité du peuple" sait que la discrétion est indispensable à l'accomplissement de sa mission.

Maintien de l'ordre, filatures, enquêtes, écoutes, contre-espionnage, lecture des lettres de dénonciation...

Les agents d'élite du KGB ont fort à faire...

D'autant qu'un phénomène nouveau est apparu depuis peu à Moscou...

La grande criminalité !

UNE NOUVELLE PÈGRE S'INSTALLE, LES AUTORITÉS, QUI NE VEULENT PAS D'UN CHICAGO RUSSE, ONT DÉCIDÉ DE METTRE LE PAQUET POUR NEUTRALISER LE MAL...

...ET C'EST POUR CETTE RAISON QUE **VOUS** ÊTES ICI !

... MERCI, CHARBONNIER. DÉTACHEZ-LES, JE POURSUIVRAI.

COLONEL **MARÉCHAL**, DE LA **D.S.T.** COMME ON ALLAIT VOUS LE DIRE, VOUS ÊTES LÀ PARCE QUE LE **K.G.B.** VOUS RÉCLAME.

DEUX JEUNES COMPATRIOTES DÉGUISÉS EN SAUCISSES DE STRASBOURG SE SONT POSÉS EN PARACHUTE SUR LE MAUSOLÉE DE LÉNINE LE MOIS DERNIER... RÉSULTATS : PROTESTATIONS DU KREMLIN, CONDAMNATION EXEMPLAIRE ET JOLI COUP DE PUB POUR LA MARQUE DE CHOUCROUTE QUI A SPONSORISÉ L'"EXPLOIT".

MOSCOU ACCEPTE CEPENDANT D'EXPULSER LES COUPABLES EN ÉCHANGE D'UN PETIT SERVICE : **VOUS** ET VOTRE RÉPUTATION MIS TEMPORAIREMENT AU SERVICE DU **KGB!**

NOUS N'ÉTIONS PAS SÛRS DE VOTRE ACCORD... D'OÙ NOS MÉTHODES UN PEU VIVES.

PIF

?

À PRÉSENT, JE SUIS SÛR QUE VOUS N'HÉSITEREZ PAS À SERVIR VOTRE PAYS QUI TIENT BEAUCOUP À LA LIBÉRATION DE ...

' VOUS FATIGUEZ PLUS, MON VIEUX, LA FARCE EST FINIE !

?

FANTASIO, APPELLE LA POLICE ! 'DOIT BIEN Y AVOIR UN TÉLÉPHONE DANS CE CINÉMA !

LA POLICE ? MAIS ELLE VOUS ATTEND...

Z

... ILS DOIVENT GELER D'AILLEURS, AVEC CE CLIMAT !

MOCKBA

5

7

À VOTRE PLACE, JE M'ASSOIRAIS, NOUS ATTERRISSONS !

CESSEZ DONC CE CIRQUE ! ... L'EFFET ABRUTISSANT DE VOS PIQÛRES NE NOUS...

?!

BADAM

?

...SPIROU, CE TYPE NE BLUFFE PAS !

...NOUS SOMMES RÉELLEMENT EN TRAIN DE NOUS POSER SUR L'AÉROPORT DE MOSCOU !

C'EST UN RÊVE ! C'EST ÇA ! JE VAIS ME RÉVEILLER !

ALLONS, DONNEZ-MOI ÇA !

...PERMETTEZ !

VOUS TROUVEREZ D'AUTRES VICTIMES POUR VOTRE HISTOIRE DE CHOUCROUTE VOLANTE ! DITES AU PILOTE DE FAIRE DEMI-TOUR !

AVEC DES RÉSERVOIRS VIDES ?

СТОЯ́НКА ЗАПРЕЩЕНИ !

?

VISITEURS DESCENDRE OU ATTENDRE DÉGEL ?!

CA-

6.

D'ACCORD, NOS MÉTHODES SE DISCUTENT MAIS VOUS AVEZ LA LIBÉRATION DE CES DEUX PERSONNES ENTRE VOS MAINS.

SOYEZ BEAUX JOUEURS, FAITES UN GESTE.

JE SAVAIS QUE VOUS ACCEPTERIEZ.

MON COLONEL! LES RUSSES S'IMPATIENTENT!

SOURIEZ! OFFICIELLEMENT, VOUS ÊTES INVITÉS POUR DES CONFÉRENCES.

CA-TDH

TSOIN TRIM TRAM

VOILÀ VOTRE VOITURE. MON RÔLE S'ACHÈVE ICI.

...ET VOS DEUX PARACHUTISTES?

VOICI LE PREMIER QUI APPARAÎT!

ZWAM

PAPA! ENFIN!

FILS ABRUTI! MONTE DANS L'AVION!

UN INSTANT! ET LE REPORTER QUI L'ACCOMPAGNAIT?

NIËT! LUI KREMLIN! RENTRER QUAND AFFAIRE TERMINÉE!

?

C'EST UNE TRAHISON! JE ...REFUSE L'ÉCHANGE! JE VAIS ORDONNER À MON AVION DE REPARTIR!

...AVEC RÉSERVOIRS VIDES?

7

TU ENTENDS ÇA, SPIROU ?! SE FAIRE DÉBARQUER EN PLEIN HIVER CONTINENTAL, LES VALISES BOURRÉES DE MAILLOTS DE BAIN, POUR ENTENDRE "BIENVENUE À MOSCOU"! C'EST À MOURIR DE RIRE !

CALME-TOI, FANTASIO...

... DEUX NOUVEAUX AGENTS DU K.G.B. ONT BIEN DROIT À QUELQUES EXPLICATIONS !

VRAIS AGENTS PAS BESOIN EXPLICATIONS ...

MA VRAIE VOCATION, C'EST LE REPORTAGE DE FOND SUR LES COCOTIERS ! L'ESPIONNAGE PAR MOINS 35°, J'AI PAS LA SANTÉ !

VOICI PHOTO! VOUS RECONNAÎTRE ?

LA PHOTO EST FLOUE !

PERSONNAGE FLOU AUSSI ! GRAND CRIMINEL, GRAND ENNEMI DU PEUPLE, INSAISISSABLE ... CHEF DE LA MAFIA.

LA MAFIA ?! ICI ?! VOUS VOULEZ RIRE? JETEZ DISCRÈTEMENT UN ŒIL À L'EXTÉRIEUR !

... ET DITES-MOI SI CELA RESSEMBLE À L'ITALIE !

CAMARADE FANTASIEV PLUTÔT REGARDER LÀ-BAS SOUS STATUE...

VOYEZ-VOUS PETIT GROUPE DE PERSONNES EN DEUIL?

9

...CÉRÉMONIE D'HOMMAGE À MILICIEN DE LA SÉCURITÉ...

...LUI EXÉCUTÉ PAR MAFIA MOSCOVITE! CRIMINELS SANS PITIÉ ET AUDACES TOUJOURS PLUS GRANDES.

ÉCOUTEZ! JE PARTAGE VOTRE...

LAISSEZ-MOI FINIR!

SNIF!

APRÈS CÉRÉMONIE, PETIT GROUPE REJOINDRE NOMBREUX CONTESTATAIRES QUI RÉCLAMENT AUX AUTORITÉS LIQUIDATION MAFIA! PRÉSIDENT D'ACCORD, MAIS...

HIEMA

ÇA IMPOSSIBLE SANS VOUS!

SOYEZ SÉRIEUX! LE KGB EST UNE DES ORGANISATIONS LES PLUS PUISSANTES AU MONDE!

KGB INFILTRER MAFIA, MAFIA INFILTRER GOUVERNEMENT, GOUVERNEMENT INFILTRER KGB, ET FINALEMENT...

...KGB INFILTRÉ PAR MAFIA! ENNEMIS DU PEUPLE TOUT CONNAÎTRE À L'AVANCE! NOUS AVOIR PROBLÈME D'INFILTRATIONS.

VOYEZ UN ENTREPRENEUR!

MAIS ENFIN...

FANTASIO L'A DIT, NOUS SOMMES SEULEMENT JOURNALISTES! QUI VOUS FAIT CROIRE QUE NOUS POUVONS VOUS AIDER?

ORDRE VENIR D'EN HAUT, TRÈS TRÈS HAUT! AVEC RENSEIGNEMENTS TRÈS COMPLETS SUR VOTRE CARRIÈRE. VOUS CONNAÎTRE REDOUTABLE CHEF MAFIA MIEUX QUE PERSONNE!

EN PLUS DE LA PHOTO, J'AI PRÉPARÉ DOSSIER COMPLET DE MISSION; AVEC ÇA, VOUS TENIR LUI À VOTRE MERCI.

LUI S'APPELER TANAZIOF!

10.

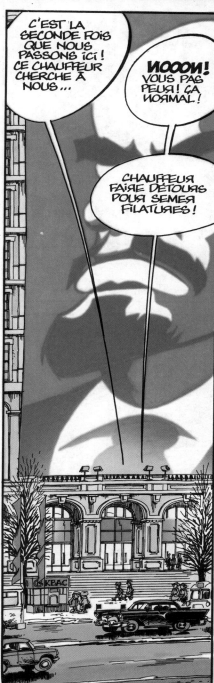

HiN
HiN
HiN !

Hi Hi !

нашу жизнь это
они, комиссары

ALLÔ, PRINCE
TANAZIOF ? J'APPELLE
DE L'IMMEUBLE DU
MINISTÈRE, C'EST FAIT!

PAS DE RUSSE AU TÉLÉPHONE,
NiKiTA ! TOUT S'EST BIEN PASSÉ?

ROUTiNE! iTiNÉRAiRE
KGB TOUJOURS PAREiL.
ViSER PREMiER PASSAGE,
TiRER DEUXiÈME, Hi Hi!
Si EUX PAS MORTS, EUX
COMPRiS !

MMUNHH??

?

Данью ?
испытания
не вернувш
ки в фон?
?

CAНЮТ
"ТОВАРИЧ"!

SALUT, "CAMARADE"!

"Si EUX PAS MORTS, EUX COMPRiS"...
BELLE ASSURANCE, MAIS PRÉMATURÉE.

?

LE COMTE NIKITA VLALARLEV, ÂME DAMNÉE
DU REDOUTABLE TANAZIOF, IGNORE SANS
DOUTE À QUI IL A RÉELLEMENT AFFAIRE...

(13)

...EN TOUT CAS, LEURS VOITURES SONT SOLIDES !

...ET LEUR GLACE ÉPAISSE ! COURS ! POUR NE PAS TE REFROIDIR !

EN LE QUITTANT, IL M'A SEMBLÉ QUE LE CHAUFFEUR AVAIT UNE PETITE MINE. J'ESPÈRE QUE L'AUTRE S'EN EST SORTI. QUE COMPTES-TU FAIRE ?

FONCER AU CONSULAT. MAIS D'ABORD...

EXAMINER CETTE ENVELOPPE...

UN DOSSIER DE MISSION EN FRANÇAIS, DES FAUX PASSEPORTS À NOS NOMS... DEUX MÉDAILLES...

HEU... TAXI !

TAXI !... DES MÉDAILLES ?

DEUX SUPERBES INSIGNES DU KGB !

FLAMBANT NEUFS ! REGARDE !

14.

À L'AMBASSADE DE... HEU... FRANTSOUSSKIM PASSOL'STVOM, HEU... TRUC...

AU MOINS, ON NE NOUS SUIT PAS! C'EST PRESQUE ÉTONNANT APRÈS TOUT CE QUI NOUS EST ARRIVÉ...

JUSTEMENT, LE BILAN GRIMPÉ, IL EST TEMPS DE FAIRE LE POINT...

UN CERTAIN "TANAZIOF" EST LA CAUSE DE BIEN DES ENNUIS À MOSCOU. PATRON DE LA MAFIA LOCALE, PAR LA BRUTALITÉ DE SES MÉTHODES, IL TIENT LE KGB EN ÉCHEC...

TCHRRR

MALGRÉ SON NOM, TANAZIOF N'EST PAS RUSSE MAIS, AU CONTRAIRE...

KRRRIP

... UN PUR PRODUIT D'EXPORTATION OCCIDENTAL!

OR, C'EST LÀ QUE, POUR DES RAISONS QUE JE COMMENCE À ENTREVOIR, LE KGB SE DIT: POUR LUTTER CONTRE TANAZIOF...

SLP

... UN SEUL REMÈDE: SPIROU ET FANTASIO. NOUS VOILÀ RÉQUISITION-NÉS!

DE NOTRE BONNE VOLONTÉ VA DÉPENDRE LA LIBÉRATION D'UN JOURNALISTE OCCIDENTAL ANONYME MAIS IMPRUDENT.

BOUGE PAS!

?

TANAZIOF A SES INFORMATEURS ET DÈS NOTRE ARRIVÉE, NOUS SOMMES L'OBJET D'UN ATTENTAT.

FANTASIO! SI JE TE DIS QU'IL Y A LONGTEMPS QU'ON N'A PLUS EU DE NOUVELLE DE LA BRANCHE DÉLINQUANTE DE TA FAMILLE, À QUI PENSÉS-TU?

D'ABORD AU CHAUFFEUR ET AU CARTON QU'IL VA FAIRE S'IL LUI VIENT L'IDÉE DE SE RETOURNER.

ZANTAFIO

зодчества Белостенные храмы

HEU... AMBASSY FRANSSKAYA!

15.

ZANTAFIO À MOSCOU ! QU'EST-CE QU'IL TRAFIQUE ENCORE ?

DE L'ARGENT, DE TOUTE FAÇON ! ET MALHONNÊTE, DE PRÉFÉRENCE. IL A SES PETITES HABITUDES... ✹

JE COMPRENDS MIEUX L'INQUIÉTUDE DES RUSSES. ZANTAFIO, C'EST PAS UN CADEAU !

HALTE !

TERRITOIRE D'AMBASSADE ! AVEZ-VOUS VOS LAISSEZ-PASSER POUR LA RÉCEPTION ?

NON, MAIS NOUS DEVONS VOIR L'AMBASSADEUR, C'EST TRÈS IMPORTANT !

IMPOSSIBLE ! IL NE VEUT PAS QU'ON LE DÉRANGE, IL S'OCCUPE DE LA RÉCEPTION MAIS...

..., À DÉFAUT, JE PEUX VOUS APPELER LE CHEF DU PROTOCOLE.

ATTENDEZ-MOI ICI !

GLA GLA GLA

AH ! LÀ-BAS ! PAS FACILE AVEC TOUS CES MASQUES...

BLA BLA

BLA BLA BLA

DEUX INDIVIDUS INSISTENT POUR PARLER À MONSIEUR L'AMBASSADEUR, M. LE CHEF DU PROTOCOLE.

DEUX, DITES-VOUS ?

ILS PRÉTENDENT S'APPELER... SPIROU ET FANTASIO !

SP...?! J'ARRIVE !

OUF ! CE DOUSAK D'AMBASSADEUR N'A RIEN ENTENDU ! COMMENT CES DÉMONS S'EN SONT-ILS SORTIS ?!

VOUS AI-JE DÉJÀ PRÉSENTÉ RECEPCIONE !

ENCHANT

BLA BL

16.

✹ VEUX-TU LES CONNAÎTRE, AMI LECTEUR ? ELLES SONT DÉNONCÉES DANS LES ALBUMS N°4, 7, 8, 16, 23 ET 42.

RAAH! NOUS FAIRE ATTENDRE PAR UN FROID PAREIL!

FANTASIO! REGARDE! CES VOITURES...

C'EST LUI! C'EST TANAZIOF! METTONS-NOUS À L'ABRI!

CLAC

STOP! VOS LAISSEZ-PASSER!

PAS DE LAISSEZ-PASSER POUR LE PRINCE BLANC, DOURAK!

?

CHTOK!

PAR ICI, SEIGNEUR! ME VOILÀ...

POUR LE GARDE, IL N'ÉTAIT PAS INDISPENSABLE DE... IL SUFFISAIT DE ME FAIRE APPELER...

DIS-MOI, MON BRAVE VLALARLEV...NE M'AVAIS-TU PAS PROMIS DE ME DÉBARRASSER DE SPIROU ET FANTASIO?

HEU,...CELA A ÉTÉ FAIT, SEIGNEUR. JE VEUX DIRE QU'EN PRINCIPE...

TANT MIEUX, MON BRAVE NIKITA...

CAR J'AI EU QUELQUES ENNUIS, DANS LE PASSÉ, AVEC CES DEUX GAMINS ...ET TU ME DÉCEVRAIS PROFONDÉMENT SI JE LES RETROUVAIS SUR MON CHEMIN.

17

PLUS DE DOUTE POSSIBLE, JE RECONNAÎTRAIS CE REGARD LES YEUX BANDÉS !

SES MÉTHODES N'ONT GUÈRE CHANGÉ...

...VIENS ! NOUS DEVRIONS BIENTÔT ÊTRE FIXÉS SUR LA NATURE DE SES PROJETS...

HALTE! HIPS! TERRITOIRE D'AMBASSADE !

BIEN D'HIPS! CAMARADE !

AH! VOUS, LE TRAÎNEUR DE SABRE ! PENDANT QUE VOUS VOUS IMBIBIEZ AVEC VOS COPAINS, TANAZIOF, LUI...

...TUTUTUT! FANTASIO ! CETTE AFFAIRE DOIT RESTER CONFIDENTIELLE...

...INFORMONS NOS AMIS À L'ABRI DES OREILLES INDISCRÈTES.

BOUM! BOUM!

HUM...VOTRE ATTENTION EST DEMANDÉE.

NOUS AVONS PARMI LES INVITÉS, CE SOIR, PRINCE DE SOUCHE AUSSI DIRECTEMENT ISSU DE NOTRE REGRETTÉE DYNASTIE... IL VA S'ADRESSER À VOUS !

J'AI NOMMÉ SÉRÉNISSIME PRINCE TANAZIOF !

CLAP CLAP CLAP CLAP CLAP CLAP CLAP CLAP

EUH... CLAP CLAP

FIDÈLES SUJETS !

18

20

... AINSI QUE VOUS TOUS, AMIS OCCIDENTAUX, ÉPRIS DE JUSTICE ET DE LIBERTÉ.

J'AI CHOISI CETTE AMBASSADE POUR ANNONCER AU MONDE QU'UNE PAGE DE SON HISTOIRE VA ÊTRE TOURNÉE ET QUE MOI, IVAN IVANOVITCH TANAZIOF...

... PRINCE HÉRITIER DESCENDANT DE LA FAMILLE IMPÉRIALE JADIS INJUSTEMENT CHASSÉE DU POUVOIR JE SUIS DE RETOUR D'EXIL!

"D'EXIL"!! DE PRISON, OUI! D'OÙ IL N'AURAIT JAMAIS DÛ SORTIR!

CHHH!

AFIN DE RENVERSER LE RÉGIME FANTOCHE QUI GOUVERNE LE PAYS...

MAIS? C'EST UNE MASCARADE!

L'AMBASSADEUR!

FAITES DONC TAIRE CE GUIGNOL!

... TRUAND! USURPAT...

KNOUT!

BIEN SÛR, LES PARTISANS DES FORCES DE L'OMBRE ET DE LA STAGNATION TENTERONT DE S'OPPOSER. TANT PIS POUR EUX!

DES AUTRES, INNOMBRABLES, PRÊTS À ME SUIVRE, J'EXIGE LE SOUTIEN INCONDITIONNEL!

VIVE LE PRINCE BLANC!

VIVE LE PRINCE BLANC!

... LES MEMBRES DE MA GARDE PASSENT DANS VOS RANGS POUR RECUEILLIR VOS GRACIEUSES CONTRIBUTIONS, RÉSERVEZ-LEUR UN BON ACCUEIL, NOTRE VICTOIRE VOUS REMBOURSERA AU CENTUPLE.

MERCI!

ET CE JOUR EST PROCHE CAR DEMAIN JE DÉFIERAI PUBLIQUEMENT LES AUTORITÉS DE CE PAYS...

DEMAIN, LE MAUSOLÉE OÙ REPOSENT LES RESTES DE L'INSPIRATEUR DE LA RÉVOLUTION QUI A JADIS CHASSÉ LES MIENS DU POUVOIR SERA VIDÉ!! DEMAIN, JE M'EMPARERAI DE LA MOMIE DE LÉNINE!

19

PiN PON PiN PiN PON !

путешествие по нашей чем отправиться !

AH! JE CROiS QU'iLS ONT FiNi LEUR PETITE COLLECTE...

?

PRiNCE SÉRÉNiSSiME! PRiNCE SÉRÉNiSSiME!

?

iL FAUT QU'iLS CROiENT QUE J'ÉTAiS SOUS VOTRE MENACE VOUS...VOUS AVEZ OUBLiÉ DE LE LEUR DiRE!

TU AS RAiSON, VITE, CAMOUFLONS ÇA !

CLAC

BAF CHTOM KNOUTT

À BiENTÔT OÙ TU SAiS, MON BRAVE NiKiTA !

PiN PON

RELAX, MON ViEUX ! LE DANGER EST PASSÉ MAiNTENANT.

VOUS ÊTES SÛR? iLS ONT DiT QU'UN DES LEURS, DiSSiMULÉ SOUS UN MASQUE, RESTAiT POUR NOUS SURVEiLLER...

TROP TARD! BiEN MALiN QUi POURRA LE RETROUVER DANS CETTE ViLLE MAiNTENANT !

PAS SÛR ...

J'Ai MA PETiTE iDÉE SUR LA QUESTiON !

20.

MOI?! COMPLICE?!

OH !

EXCELLENCE! PAREILS SOUPÇONS FAIRE SAIGNER MON ÂME ! ALORS QUE CORPS DÉJÀ BIEN MALMENÉ PAR TERRORISTES !

IL N'AVAIT PAS BESOIN DE ÇA, C'EST VRAI... REVENONS À VOTRE COMPORTEMENT, JE L'AI TROUVÉ ÉTRANGE.

ILS ME MENACER MASSACRE SI PAS OBÉIR !

SOIT ! VOUS ME FEREZ VOTRE RAPPORT AL' PLUS VITE. FAITES ENTRER CES DEUX JOURNALISTES !

SON EXCELLENCE AMBASSADEUR CONSENTIR RECEVOIR VOUS.

MESSIEURS... SPIROU ET FANTASIO... AGENTS DU KGB, DISENT CES PAPIERS TROUVÉS SUR VOUS.

EXCELLENCE, NOUS AVONS UNE EXPLICATION À TOUT CELA, MAIS...

...LE PLUS URGENT EST DE NOUS AIDER À METTRE LA MAIN SUR ZANTAFIO ! SES MENACES DOIVENT ÊTRE PRISES AUX SÉRIEUX !

ZANTAFIO... FANTASIO TANAZIOF... C'EST UNE HISTOIRE COMPLIQUÉE !

TU VAS VOIR CE QUE TU VAS PRENDRE SI SPIROU ET FANTASIO LA RAMÈNENT, GROS TAS !

GLOUISK

NIKITA

DÉSOLÉ, MESSIEURS ! POUR MOI, IL S'AGIT D'UNE AFFAIRE INTÉRIEURE RUSSE !

MAIS !

VIENS, FANTASIO ! IL NOUS FAUDRA AGIR SEULS ! APRÈS TOUT, C'EST MIEUX AINSI !

(22)

POURVU QUE NIKITA N'EN AIT PAS PROFITÉ POUR...

?

POUR SPIROU ET FANTASIO

AH! TOUT DE MÊME!

C'EST UNE LETTRE ANONYME ?!

POUЯ SAVOIЯ OU ETR TanaЗIOf. VOU veniЯ DiScINe MOSKVA ce MaTIN

C'EST SIGNÉ "UN AMI KI VOU VEU DU BIEN" ÇA ME FAIT MAL QU'ON PUISSE NOUS CROIRE AUSSI NAÏFS ...

DE TOUTE FAÇON, ON N'A PAS LE CHOIX, VLALARLEV S'EST ENVOLÉ MAINTENANT.

LE JOUR VA SE LEVER. NOTRE PREMIÈRE NUIT À MOSCOU AURA ÉTÉ BLANCHE.

C'EST VRAI! JE M'ÉTONNE QUE SPIP N'AIT PAS PROTESTÉ.

CHHHT! FAIS SEMBLANT DE RIEN ... J'AI REMARQUÉ AUSSI MAIS ...

PLUS ON LUI PRÊTE ATTENTION, PLUS IL ROUSPÈTE.

METS ÇA, CE SONT DES VÊTEMENTS OUBLIÉS PAR LES INVITÉS.

VESTIAIRE

FANTASIEV   SPIROV   SPIP

ПРАВДА

AU MÊME MOMENT, SUR LA PLACE ROUGE, NON LOIN DU KRÉMLIN ...

ЛЕНИН

?

23

СТОП!

боевой славы По Молышкинский

молодежь на разъяснении

HALTE ! - COLONEL LAFÍDMÉREV, LAISSEZ-MOI PASSER!

- JE SUIS DE LA MAISON !

Прошедшим ле юзного студенчес социалистического

Идея

AVANT MIDI J'AURAI FRAPPÉ, DOURAKS ! TANAZIOF

наук при студенче инициативе

- OUF! IL EST TOUJOURS LÀ !

.... MAIS

- QUI A INSCRIT CECI ?!

Данью глубокого уважения к люд испытания Великой Отечественной

экспедиция

Верховье памятник Доме культуры музей

Великой отрядов

C'EST À CE MOMENT QUE LE COLONEL LAFÍDMÉREV SORT SON PETIT SIFFLET ROUGE ...

FLUUUA FLUU

- COMMENT SAVOIR, COLONEL, CHAQUE JOUR, DES MILLIERS DE RUSSES FONT LA QUEUE POUR ...
- JE SAIS, IMBÉCILES !

- ZUT ! CE COUP-LÀ, ON EST BON POUR POUKIMGRAD. "KLEBSKISGRAD", IMBÉCILE !

... CELUI DONT LE SON SI PARTICULIER PEUT RAMEUTER TOUS LES AGENTS DU KGB PRÉSENTS DANS UN RAYON DE MILLE MÈTRES ...

FLUUUUUa

FLUUUUUUa

FLUUUUUUa

EN QUELQUES INSTANTS, LA PLACE ROUGE EST NOIRE DE MONDE ...

24

MAIS LAISSONS À PRÉSENT LE PÂLE SOLEIL HIVERNAL SE LEVER SUR LE KREMLIN ET LES ÉPINEUX PROBLÈMES DE SÉCURITÉ DU COLONEL LAFIDMÉREV...

...POUR RETROUVER SPIROU ET FANTASIO À QUELQUES PORTÉES DE SIFFLET DE LÀ, DANS L'EAU À 25 DEGRÉS DE **LA PISCINE MOSKVA** ...

DRÔLE D'ENDROIT POUR UN RENDEZ-VOUS...

DE QUOI TE PLAINS-TU ? L'EAU EST CLIMATISÉE...

LES PIEDS À 25°, LA TÊTE À MOINS DIX ! IL FAUT CONSERVER SON CHAPEAU SI L'ON VEUT GARDER SES OREILLES...

...LE RIDICULE NE TUE PAS

...PAR CONTRE, AVEC CETTE BRUME, IL PEUT ARRIVER UN ACCIDENT LE PLUS DISCRÈTEMENT DU MONDE. RESTONS VIGILANTS!

CHAPSKA EN POILS DE RAT, GROSSIÈRE IMITATION ZIBELINE RIDICULE PETIT CHAPEAU ROUGE, NIKITA A REPÉRÉ CIBLES!

BIENTÔT, STUPIDES PETITS OCCIDENTAUX NAÏFS MORTS POUR DE BON! ET NIKITA RESPIRER.

KROOOUiiiii
KROOOUiiiii

TIENS? TU N'ENTENDS RIEN ?

?

25

JE N'ENTENDS RIEN ET JE NE VEUX RIEN ENTENDRE ! JE PRIE DIEU POUR QUE, SI CETTE AVENTURE DOIT UN JOUR ÊTRE RACONTÉE, ON OMETTE CE PASSAGE GROTESQUE !

KRAOUiiii

DIEU NE VOUS ENTENDRA PAS. IL A DÉSERTÉ L'ENDROIT DEPUIS QU'ON A BULLDOZÉRISÉ TROIS CHAPELLES POUR CREUSER CETTE BAIGNOIRE !

?

GLA GLA GLA

SI,... AU MOINS C'ÉTAIT DE L'EAU BÉNITE !

VOUS PARLEZ FRANÇAIS !

GLA GLA

...AVEC UN LÉGER ACCENT ! JE ROULE UN RIEN LES "R" ET, PARFOIS, JE RETOURNE ENCORE QUELQUES "N", MAIS SEULEMENT EN ÉCRIVANT.

GLA GLA GLA

...JE SUIS UN RUSSE FRANCOPHILE ! JE FABRIQUE DES CHAPSKAS QUE JE VENDS AUX TOURISTES.

LE GRINCEMENT SE PRÉCISE, MAIS IMPOSSIBLE DE SAVOIR D'OÙ IL PROVIENT.

KRAOUiiii KRAOUiiii

KRAOUiiii KRAOUiiii

VOIX TOUJOURS BIEN SITUÉE, PETIT COUP POUR CHASSER BOULON ET...

PLUS RIEN ... REJOIGNONS FANTASIO.

VOUS AURIEZ DÛ VOUS COUVRIR, IL PARAÎT QU'AVEC LE FROID, VOS OREILLES...

J'AI OUBLIÉ MES VÊTEMENTS HIER, AU VESTIAIRE D'UNE AMBASSA- DE, UN JEUNE POLITICIEN PLEIN D'AVENIR Y TENAIT UNE CONFÉRENCE...

COMPRENONS-NOUS, CE PAYS A BESOIN D'UN POUVOIR FORT ! LA CONFECTION POUR TOURISTES EST EN PLEIN DÉCLIN ET... ...MAIS ?!

?

C'EST **MA CHAPSKA** QUE VOUS PORTEZ ! UNE AUTHENTIQUE ZIBELINE FABRIQUÉE PAR MOI-MÊME ! MON TICKET DE VESTIAIRE EST TOUJOURS DEDANS !?

?

PAS DE DOUTE ! C'EST BIEN LE COUP D'AIGUILLE GROSSIER DE CES QUINZE RÉFUGIÉS UKRAINIENS QUE J'EXPLOITE DANS MA CAVE !

?

AU VOLEUR !

ADIEU SPIROV ET FANTASIEV !

BING

26

HA! J'ENTENDS DÉJÀ L'HÉLICO DE LA MILICE! VOUS ALLEZ VOIR, GREDINS!

BLIINK!

HI HI! CHAPSKA POIL DE RAT DÉFONCÉE! NIKITA A FRAPPÉ JUSTE!

L'AUTRE COULÉ À PIC, SOUS CHAPEAU ROUGE RIDICULE!

...ET MAINTENANT, REJOINDRE SÉRÉNISSIME PRINCE BLANC.

MMF??

ТАКСИ!

AU PALAIS D'HIVER, MOUJIK, EN VITESSE!

IL VA NOUS SEMER! IL A PRIS LE SEUL TAXI DISPONIBLE!

LE SEUL ARRÊTÉ! IL Y A LES AUTRES!

...TU OUBLIES QUI NOUS SOMMES!

...SUIVRE CETTE VOITURE, CAMARADE AGENT DU KGB?! MAIS...

...J'AI DÉJÀ CHARGÉ UN CLIENT À LA GARE DE SIBÉRIE.

...D'ACCORD POUR TOUT, SAUF RETOURNER À KLEBSKISGRAD!

27

QUELQUES INSTANTS PLUS TARD...

STOP! IL QUITTE LE TAXI!

OÙ SOMMES-NOUS?

C'EST LE DOMAINE DU PALAIS D'HIVER, LE MUSÉE DE L'ANCIENNE RÉSIDENCE DES TSARS.

REGARDE! ON DIRAIT QU'IL VA SE JOINDRE À UN GROUPE DE VISITEURS.

...OR, LA LÉGENDE VEUT QUE DE NOMBREUSES PIÈCES RESTERAIENT TOUJOURS INEXPLORÉES, FAUTE D'AVOIR RETROUVÉ LES PASSAGES SECRETS QUI Y MÈNENT...

HEM!

HM... BREF! MERCI À TOUS! LA VISITE EST TERMINÉE!

? ?

MAIS... LA SALLE DE TORTURE? LA BIBLIOTHÈQUE DE RASPOUTINE... LE...

...FINI POUR CE MATIN!

KRIK KRAK

TU ES BAVARD, SERGEÏ! UN JOUR, ON TE CROIRA ET ON VIENDRA SONDER MURS POUR RETROUVER PASSAGES SECRETS...

...ET TOI, TU ES EN RETARD, NIKITA.

...ET LE PRINCE TANAZIOF N'AIME PAS ÇA!

KLAK

OILING DING OILING

? ?

KROUI KROUI KROUI KROUI

28

30

INCROYABLE! ILS ONT DISPARU DANS CE ...

CHHHHT!! MOINS FORT!

JE CROIS QU'IL Y A UN MICRO SOUS LES CLOCHETTES DU CHEVAL. IL DOIT SERVIR À ANNONCER LA DESCENTE.

ME VOICI, PRINCE SÉRÉNISSIME

J'AI FAILLI ATTENDRE, MON BON VLALARLEV!

J'AI EU UN PETIT CONTRE-TEMPS, RIEN DE GRAVE.

SOIT, NE COMMETS PAS D'AUTRES ÂNERIES, NIKITA! OU JE TE FAIS IMMERGER SOUS LA GLACE DE LA MOSKOVA.

... À PRÉSENT, HABILLE-TOI COMME LES AUTRES...

J'AI FAIT DISTRIBUER LES HABITS POUR L'OPÉRATION, QUE CHACUN SOIT PRÊT DANS CINQ MINUTES.

29

JE SUIS PRÊT, EXCELLENCE !

PARFAIT !

L'OPÉRATION "MAUSOLÉE" EST LANCÉE ! QUE CHACUN JURE DE NE PAS TOMBER VIVANT ENTRE LES MAINS DE L'ENNEMI !

NOUS LE JURONS !

EN ROUTE !

COPIEUSE POÊLÉE DE CRÉTINS FANATIQUES ! J'ESPÈRE QU'ILS TIENDRONT PAROLE.

AH ! VOUS DEUX ! VOUS NOUS SUIVEZ ! IGOR VOUS REMPLACE, IL N'Y AVAIT PAS DE DÉGUISEMENT À SA TAILLE.

!

...ET N'OUBLIE PAS, IGOR : EN CAS D'ENNUI, TU FAIS TOUT SAUTER !

BIEN, EXCELLENCE !

KH-KOF !!

TOUS DANS LE CAR ! EN VITESSE !

TURIST

UN CAR DE TOURISME... DES DÉGAINES D'AGENTS SECRETS...

AVEC TOUTES LES MESURES DE SÉCURITÉ VOILÀ SANS DOUTE TOUT CE QUI POUVAIT CIRCULER LIBREMENT...

... MAIS COMMENT ZANTAFIO ESPÈRE-T-IL S'Y PRENDRE POUR ...

OH !

CE BÂTIMENT !! JE LE RECONNAIS, C'EST... LE QUARTIER GÉNÉRAL DU KGB !!!

TURIST

30

TOUJOURS DISSIMULÉS AU SEIN DU PETIT GROUPE, SPIROU ET FANTASIO PÉNÈTRENT DANS LE BÂTIMENT À LA SUITE DE ZANTAFIO.

QUEL CULOT...

AINSI DÉGUISÉS, NOUS PASSONS POUR DES AGENTS ESCORTANT UN SUSPECT.

... ET LA SURVEILLANCE DU MAUSOLÉE A VIDÉ LES BUREAUX ! CES RARES EMPLOYÉS AURAIENT BIEN DU MAL À S'OPPOSER À UN COMMANDO COMME CELUI-CI.

...LES CAVES, À PRÉSENT, MAIS ??!

QU'EST-CE QUE ZANTAFIO ESPÈRE TROUVER ICI ?!

SNOUF?

...DES MINUTES QUE NOUS MARCHONS. NOUS NE DEVONS PLUS ÊTRE SOUS LE Q.G. DEPUIS UN MOMENT ET...?!

NOUS SOMMES SOUS LA PLACE ROUGE !!

ET PENDANT QU'À L'HORLOGE DE LA VÉNÉRABLE TOUR DU SAUVEUR, LES AIGUILLES S'APPRÊTENT À MARQUER MIDI...

31

...AU MÊME INSTANT, DANS LES PROFONDEURS...

MESSIEURS, NOUS Y VOILÀ !

MÊME PAS UN SEUL GARDE! HA HA HA! C'EST BIEN CE QUE JE PENSAIS, NOTRE MANOEUVRE A FONCTIONNÉ!

NIKITA?

...C'EST LE MOMENT DE PROUVER TON UTILITÉ!

VOUS FROISSEZ PAUVRE PETIT ORGUEIL DE VOTRE SERVITEUR, EXCELLENCE!

BIEN AVANT RÉVOLUTION, LES VLALARLEV DÉJÀ FAMILLE DE SERRURIERS IMPÉRIAUX...

ELLE ACHETÉ TITRE DE NOBLESSE GRÂCE À FORTUNE.

DING? DING?

TOC? TOC? TOC?

KLOBOB? KLOBOB?

QUAND LÉNINE DEVENU MOMIE, MON GRAND-PÈRE POUVOIR REVENIR D'EXIL À KLEBSKISGRAD EN ÉCHANGE FABRICATION DE CETTE PORTE BLINDÉE...

GROS TRAVAIL! TRÈS COMPLIQUÉ! GRAND-PÈRE MORT ÉPUISÉ APRÈS AVOIR TRANSMIS SECRET À MON PROPRE PÈRE...

...QUI L'A CONFIÉ À SON FILS: VOTRE DÉVOUÉ NIKITA, À NOUVEAU SERVITEUR DE FAMILLE IMPÉRIALE AUJOURD'HUI!

VODKA

GLOB GLOB

RSHSHSH

COMTE VLADIMIR IGOR VLALARLEV, MON GRAND-PÈRE BIENTÔT VENGÉ!

KLING KLANG TRIK TRAK

HIPS BURP!

RAAAAAAM

PROUT!

...ET ÇA PLUS BEAU JOUR DE SA VIE SI LUI PAS DÉJÀ MORT!

VRRRRRRR...

IL S'OUVRE! HOURRA!!! TU ES... JE VEUX DIRE ...JE SUIS GÉNIAL!! HA HA HA! PLUS UNE SECONDE À PERDRE!

MAIS... SPIROU! IL N'Y A RIEN DANS LE FOND DE CE COFFRE.

CE N'EST PAS LE FOND QUI COMPTE: LÈVE LE NEZ!

32

... VOUS DEUX ! VOUS ALLEZ MOISIR À FORCE DE NE RIEN FAIRE ! PRENEZ CE SAC ET TENEZ-VOUS PRÊTS !

?

NIKITA ? MAINTENANT !!!

NIKITA, LE COMMUTATEUR, LÀ, SUR LE MUR: TU DÉCLENCHES À MON SIGNAL.

?

?

BIEN, EXCELLENCE !

AU MÊME INSTANT, EN SURFACE.

COLONEL! COLONEL! QUELQUES MOTS

!!!!! ?!?!! DES REPORTERS À PRÉSENT !

CIRCULEZ! OU JE FAIS PIÉTINER VOS CAMÉRAS.

DONG

!

MIDI ! L'ULTIMATUM VIENT À ÉCHÉANCE !

DONG DONG DONG

SAINT BARBOUZ, PATRON DES AGENTS DU KGB POUR QUI PRIENT ENCORE QUELQUES VIEUX RÉACTIONNAIRES, FAITES QU'IL N'ARRIVE RIEN À LA MOMIE...

DONG DONG DONG DO

RIEN!

HOURRA! HA HA HA

IL NE S'EST RIEN PASSÉ! IL...

CRAC...

CRAC...

DONG BRRRA

?

BRRA ??

33

DONG!

ZZZIIIP

PARFAIT! SORTEZ! JE VOUS REJOINS, LE TEMPS DE DÉPOSER UN MESSAGE D'ADIEU!

HORREUR! C'EST MONSTRUEUX! APRÈS UN SCANDALE PAREIL, LE PAYS VA ÊTRE À FEU ET À SANG!

CETTE FOIS, C'EST SÛR! JE FINIS À KLEBSKISGRAD AVEC TOUS LES TYPES QUE J'Y AI ENVOYÉS!

PLUTÔT MOURIR!

COMMENT AVOIR PU CROIRE QU'ILS IGNORERAIENT L'EXISTENCE DU SOUTERRAIN!

PAN!

?

MAIS...

ÇA, C'EST... C'EST INESPÉRÉ!!!

Montant de la rançon.

Отечественной войны му. проекту в селе Вер и открытый в Доме

-VINGT HOMMES POUR INTERDIRE L'ENTRÉE DU MAUSOLÉE, LE RESTE AVEC MOI!

PSSST... FANTASIO!

?

CETTE... RELIQUE EST SANS DOUTE CE QUE LE PEUPLE RUSSE A DE PLUS SACRÉ, IL FAUT EMPÊCHER ZANTAFIO DE...

COMPRIS! LAISSE-MOI FAIRE!

34

MAIS VOUS N'ÊTRE PAS...

OH! MAIS ALORS, VOUS ÊTRE...

... BIEN OBSERVÉ!

MAIS... QUEL EST CE REMUE-MÉNAGE ?!

ENCORE BRAVO !!! ON PEUT DIRE QUE TU T'ES SURPASSÉ !

JE REGRETTE ! COMME AGENT SECRET, JE DÉBUTE. JE SUIS MEILLEUR AVEC DES PALMES ET UN TUBA DANS UN LAGON TAHITIEN !

EUX !! QUELLE CHANCE D'ÊTRE RESTÉ EN ARRIÈRE !

TRAKATAK

HA, PRINCE ! HEUREUSEMENT QUE VOUS...

SILENCE ! INCAPABLE ! QU'ON LES ATTACHE !

Студенты успокои Покажи только Так

дали все время то сообщил в войн

- IL Y A EU DES COUPS DE FEU LÀ-DESSOUS MAIS IMPOSSIBLE D'OUVRIR !
- TANT PIS, AU QUARTIER GÉNÉRAL !

ILS... ILS SONT FICELÉS, VÉNÉRÉ PRINCE !

PARFAIT...

PASSE-MOI LA BOMBE, MON BRAVE NIKITA.

35

CETTE BOMBE NE VOUS ÉTAIT PAS DESTINÉE...

ELLE DEVAIT SERVIR À PROVOQUER UN ÉBOULEMENT POUR COUVRIR NOTRE FUITE. UN MÉCANISME TRÈS SIMPLE LA COMMANDE. ON PEUT L'ARRÊTER COMME ON VEUT...

...À CONDITION, BIEN SÛR, D'AVOIR LES MAINS LIBRES!

KRUIK! KRUIK!
KLIK
KLOK
KLOK
KLIK
KLOK
KLIK
KLOK

KLIK KLOK KLIK KLOK KL

ADIEU! LE PRINCE TANAZIOF VOUS SALUE SANS VOUS ACCORDER SA CLÉMENCE!

HEM... PRINCE A RAISON: LUI RÉSERVER CLÉMENCE POUR BRAVE NIKITA! BIEN PLUS UTILE VIVANT QUE GELÉ DANS FLEUVE MOSKOVA!

ALLONS, NIKITA! POURQUOI TE TORTURER? SPIROU ET FANTASIO ÉTAIENT DE TROP GROS MORCEAUX POUR TOI! À PRÉSENT, TOUT VA ÊTRE RÉGLÉ TRÈS VITE!

IK! KLOK! KLIK! KLOK! KLIK! KLOK! KLIK! KL

NE L'ÉCOUTEZ PAS! NIKITA! LE PRINCE TANAZIOF N'EXISTE PAS! ZANTAFIO N'EST QU'UN IMPOSTEUR VÉNAL ET SANS PAROLE!

CALME-TOI! ON L'A ROULÉ!

KLIK! KLOK! KLIK! KLOK! KLIK! KLOK

ROULÉ?

PARFAITEMENT! ILS N'ONT PAS PENSÉ À ME FOUILLER!

OK! KLIK! KLOK! KLIK! KLOK! KLIK!

...OR, SPIP ÉTAIT CACHÉ SOUS MA GABARDINE!

À TOI, SPIP!

K! KLOK! KLIK! KLOK! KLIK! KL

SPIP VA COUPER NOS LIENS AVEC SES DENTS! HI HI! DU GÂTEAU!

KLIK! KLOK! KLIK! KLOK! KLIK! KLO

MOUMOU... MOUM!

K! KLOK! KLIK! KLOK! KLIK! KLIK! K

DU GÂTEAU, HEIN?!! SI J'AVAIS LES MAINS LIBRES, JE CROIS QUE JE TE...

...AVEC LES MAINS LIBRES, TU FERAIS MIEUX DE DÉSAMORCER LA BOMBE!

36

...MAIS COMMENT AVEZ-VOUS?

EXPLICATIONS PLUS TARD! NOUS ENCORE POUVOIR RATTRAPER TANAZIOF!

KRIP

VOTRE ÉCUREUIL AVOIR CARACTÈRE BIEN TREMPÉ!

CONTINUONS! LA MISSION D'ABORD!

NOMBREUSES RAMIFICATIONS DANS SOUTERRAIN, DEVOIR NOUS SÉPARER!

ари ока не дог омогли в то детдом

тряд на енное задани еньги гайдаро детского

дин из самь айона Минско ешили постро арaботанны

ET C'EST AINSI QUE...

ⓖⅎⅉ⅏ⅉ⃞◉▦ ENCORE UNE BIFURCATION!

VOUS PRENDRE À DROITE, REVENIR AU MAUSOLÉE SI BREDOUILLES !!!

... ET ZUT!

...NOUS COURONS EN VAIN DEPUIS DIX MINUTES, IL FAUT SE RENDRE À L'ÉVIDENCE, ZANTAFIO NOUS A BIEN EUS...

LÀ! UNE TRAPPE OUVERTE!

ON L'A UTILISÉE RÉCEMMENT! RIEN N'EST PERDU!

?

?

CETTE MUSIQUE, DES DANSEURS, LES COULISSES D'UN THÉÂTRE... AUCUN DOUTE POSSIBLE...

NOUS SOMMES AU THÉÂTRE BOLCHOÏ!

...EN PLEIN MILIEU D'UNE REPRÉSENTATION OFFICIELLE.

LA SALLE EST BONDÉE. IL DOIT Y AVOIR PLUSIEURS MINISTRES, DES GÉNÉRAUX PARTOUT ET... OH!

ZANTAFIO! LÀ-BAS! DANS UN BALCON, NOUS AVIONS LA BONNE PISTE!!!

QUELLE AUDACE! IL N'HÉSITE PAS À PRENDRE DES RISQUES MAIS POURQUOI?? QU'A-T-IL BIEN PU FAIRE DE LA MOMIE?

À MOINS QUE... MAIS OUI! CE SERAIT GÉNIAL!

TOUTE LA POLICE DE MOSCOU EST AUX TROUSSES DE ZANTAFIO, IL SE CACHE LÀ OÙ NUL NE L'ATTEND: DANS LA GUEULE DU LOUP!!!

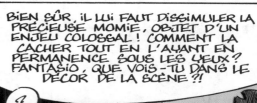

BIEN SÛR, IL LUI FAUT DISSIMULER LA PRÉCIEUSE MOMIE, OBJET D'UN ENJEU COLOSSAL! COMMENT LA CACHER TOUT EN L'AYANT EN PERMANENCE SOUS LES YEUX? FANTASIO, QUE VOIS-TU DANS LE DÉCOR DE LA SCÈNE?!

?

DES TOMBES, UN CERCUEIL, DES... UN CERCUEIL!

EXACTEMENT! SUIS-MOI AU VESTIAIRE!

CINQ MINUTES PLUS TARD...

?

39

ILS NOUS POURSUIVENT! ILS VONT NOUS...

IL RESTE UNE CHANCE! HEP! TAXI!

CHAUFFEUR! DIRECTION: LA PLACE ROUGE! AU QUART DE TOUR!

HA! TOURIST, MMH!

...D'ABORD DEGELER MOTEUR POUR DEMARRER VOITURE!

TROP TARD!

пересекают онтрастов!

TAXI! SUIVEZ CETTE VOITURE, DEVANT VOUS!

HA!

MOTEUR CHAUD: PARTIR MAINTENANT!

CLAP.

VROO

HA HA HA! REGARDE-MOI CES LOURDAUDS! DES LIMACES QUI RATENT UN TRAIN!

BAISSE LA TÊTE!!!

LES VOILÀ DEJÀ! EUX NE TE RATERONT PAS!

VOUS TOUJOURS D'ACCORD DONNER GROS POURBOIRE QUAND NOUS ARRIVÉS?

BIEN SÛR FONCEZ, NOM DE...

41

... DANS CE CAS, BIENVENUE PLACE ROUGE, DEVANT VOUS !

BONK

RELEVEZ TÊTE POUR ADMIRER BASILIQUE BASILE-LE-BIENHEUREUX À GAUCHE !

... SUR LA DROITE, TOUR DU SAUVEUR ET KREMLIN AVEC MAUSOLÉE LÉNINE ...

PAN PAN

ARRÊTEZ-VOUS ! CES BLINDÉS VIENNENT VERS NOUS !

IMPOSSIBLE ! CÂBLE FREIN COUPÉ PAR BALLE !!

MIEUX VAUT QUITTER TAXI. PLACE ROUGE PLUS BELLE ENCORE AU RAS DU SOL !

OH NON ! LA... LA MOMIE

KRAK BOINK

KRAKRAKROIKS

CETTE FOIS, C'EST FINI ! TOUT EST FICHU !

EN TUTU DANS LA NEIGE JE SUIS BON POUR LA PNEUMONIE !

GLU... GLA GLA GLA

SPIROV ! FANTASIEV ! PAR ICI !

SNIF

COLONEL ! LA MOMIE ! ELLE VIENT D'ÊTRE...

VOUS SILENCE ! VENIR DANS MAUSOLÉE !

DANGER FINI ! MES HOMMES S'OCCUPER DE TOUT !

OH !

LÉNINE !! IL EST À NOUVEAU DANS...

VOUS SE CALMER, MOI EXPLIQUER ...

42

PLUS TARD...

VOICI "LÉNINE" IOSSIP TATAMOVITCH PREMIER SOSIE VOLONTAIRE, DÉCÉDÉ EN 1933.

"LÉNINE" SERGEÏ IVANOV, CULTIVA-TEUR À BAKOU DANS LES ANNÉES TRENTE...

ALEX ROMANOV COIFFEUR À MINSK...

VLADIMIR DANKO... IGOR TOMSKI...

CELUI VOLÉ PAR TANAZIOF S'APPELER IVAN STRELNIKOV...

...MAIS ALORS ?!! POURQUOI TANT D'AFFOLEMENT POUR UN SIMPLE SOSIE ??

ÉVITER SCANDALE ! VRAIE MOMIE LÉNINE TRÈS FRAGILE, MÊME PAS SUPPORTER LUMIÈRE ! PEUPLE PAS ACCEPTER SI APPRENDRE VÉRITÉ !

PERSONNE SAVOIR ! SEULEMENT QUELQUES GARDES, PRÉSIDENT ET MOI... ET VOUS MAINTENANT...

...VOICI L'AUTHENTIQUE. VOUS ENLEVER CHAPEAU

QUAND TANAZIOF DEMANDER RANÇON SINON DÉTRUIRE MOMIE, J'AI COMPRIS LUI IGNORER EXISTENCE DES SOSIES... LUI SEULEMENT CONNAÎTRE SOUTERRAIN SECRET GRÂCE À RENÉGAT VLALARLEV...

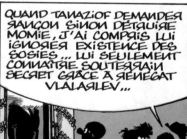

TANAZIOF FAUX PRINCE REBELLE MAIS VRAI MAFIOSO ! LUI EN FUITE, MAINTENANT !

.PFF... COMMENT ÊTRE SÛR... CE VÉNÉRABLE AMAS DE POUSSIÈRE N'EST PEUT-ÊTRE QU'UNE AUTRE IMPOS...

'POST... PP'ATT... ATT... ATT...

TCHAA!

...VOUS SACRÉS HÉROS DU PEUPLE"!

GRAND PRIVILÈGE ! SEULE DISTINCTION PERMETTANT D'ÉVITER PIQÛRE QUI REND AMNÉSIQUE...

DEVOIR PROMETTRE DE NE RIEN RÉVÉLER !

43

ENFIN...

DOMMAGE VOUS PARTIR SI VITE... TANT DE CHOSES À VISITER...

UNE AUTRE FOIS, COLONEL, ET PUIS...

IL Y A CETTE PERSONNE QUE VOUS AVEZ PROMIS DE FAIRE LIBÉRER SI NOUS VOUS AIDIONS...

KGB TENIR PROMESSE, TOUT DÉJÀ ARRANGE !

COLONEL MARÉCHAL DÉJÀ AVERTI. VOUS ATTENDRE AVEC AVION À L'AÉROPORT.

CONTENT QUE VOUS AYEZ RÉUSSI, MESSIEURS.

TIENS, CHARBONNIER, VOUS ÊTES LÀ AUSSI ? REPOSÉ, J'ESPÈRE.

J'ATTENDS QUELQU'UN, MESSIEURS! QUELQU'UN QUI VOUS DOIT LÀ CLÉMENCE D'UN TRIBUNAL.

PAPA!

HEM... NOS ENFANTS SONT TRÈS LIÉS. ILS ONT PRIS L'HABITUDE DE FAIRE LEURS BÊTISES ENSEMBLE

JE VOIS...

HEU... BAGAGES SPIROV ET FANTASIEV, JE PORTER DANS AVION, D'ACCORD? HEM...

DONNEZ !! JE M'EN CHARGE ! JE LEUR DOIS BIEN ÇA !

!

J'AI UN SEUL REGRET: ZANTAFIO COURT TOUJOURS

BAH ! IL EST BRÛLÉ, ICI. IL RÉAPPARAÎTRA BIEN UN JOUR QUELQUE PART ET CETTE FOIS-LÀ...

...ON NE LE LAISSERA PLUS S'ENVOLER AUSSI FACILEMENT...

FIN

TEXTES & DESSINS TOME & JANRY
COULEURS STÉPHANE DE BECKER

MERCI BRUNO!

PRINTED IN BELGIUM BY

proost

INTERNATIONAL BOOK PRODUCTION